JARDINES & PISCINAS
GIARDINI & PISCINE
JARDINS & PISCINAS

JARDINES & PISCINAS
GIARDINI & PISCINE
JARDINS & PISCINAS

EVERGREEN is an imprint of

Taschen GmbH

Hohenzollernring 53, D-50672 Köln

www.taschen.com

Editor Realizzazione editoriale Editor:
Simone Schleifer

Asistente editorial Assistente editoriale Assistente editorial:
Àlex Sánchez Vidiella

Traducción al español Traduzione spagnola Tradução espanhola:
Almudena Sasiain

Traducción al italiano Traduzione italiana Tradução italiana:
Maurizio Siliato

Traducción al portugués Traduzione portoghese Tradução portuguesa:
Vera Maia Rocha

Corrección Correzione Revisão:
Sara Tonelli, Victoria Pérez Camisón

Dirección de arte Direzione artistica Direcção de arte:
Mireia Casanovas Soley

Diseño gráfico y maquetación Disegno e impaginazione Desenho gráfico e maqueta:
Oriol Serra Juncosa

Impreso en Stampa Impresso em:
Gráficas Toledo, Spain

ISBN-13: 978-3-8228-2790-1
ISBN-10: 3-8228-2790-8

Índice Indice Índice

El ser humano se siente fuertemente atraído por la naturaleza; el sentimiento que lo une a la exuberancia de la vegetación y al agua en sus múltiples manifestaciones –fuentes, lagos, ríos– lo arrastra a una búsqueda constante de esos elementos en su entorno urbano, dominado por el gris del hormigón. Por ello, uno de los mayores retos a los que se enfrentan arquitectos y paisajistas es integrar la naturaleza en sus obras mediante piscinas y jardines que proporcionen al hombre recuerdos del paraíso perdido.

En las últimas décadas, y debido al imparable incremento demográfico, las ciudades han ido ganando superficie y han convertido a la flora y la fauna autóctonas en víctimas mortales del avance urbanístico. Sin embargo, no es fácil vencer a la naturaleza. Una autopista puede quedar cubierta de maleza al poco tiempo de que el tránsito deje de circular por ella. Esa fuerza capaz de llenar de vida los rincones más inhóspitos fue descrita por Goethe, en su obra Fausto, como «el manto viviente de la divinidad». El avance de la técnica hace que hoy en día los arquitectos tengan a su alcance la posibilidad de exprimir esa fuerza natural y satisfacer los deseos más excéntricos del individuo. Si el presupuesto del cliente lo permite, son capaces de concebir desde un bucólico oasis hasta un ordenado y minimalista jardín zen.

Gracias al constante avance de la tecnología, las condiciones climáticas no suponen ya una limitación al acondicionamiento de piscinas y jardines. Aunque son obvias las innumerables ventajas de elegir una vegetación propia de la zona, por lo que a mantenimiento y cuidados se refiere, en la actualidad los sistemas de regulación de humedad y temperatura permiten instalar un jardín tropical en una zona nórdica. Por otro lado, el amplio abanico de materiales que ofrece el mercado hoy en día permite instalar una piscina en condiciones inmejorables; los recubrimientos plásticos o las piletas de poliéster y de metal son recomendables en lugares con temperaturas suaves, mientras que en climas extremos se recomiendan la piedra o el hormigón.

Este libro ofrece un paseo por el mundo de las piscinas y los jardines, y presenta una selección dividida en instalaciones públicas y privadas que muestra una panorámica de las nuevas tendencias y el diseño más contemporáneo de la mano de arquitectos y paisajistas renombrados y reconocidos en todo el mundo.

L'essere umano si sente fortemente attratto dalla natura; il sentimento che lo lega all'esuberanza della vegetazione e all'acqua nelle sue molteplici manifestazioni –fontane, laghi, fiumi—lo porta a ricercare costantemente tali elementi nel suo ambiente urbano, così dominato dal grigio del cemento. Per questo, una delle principali sfide cui fanno fronte architetti e paesaggisti è quella di integrare la natura nelle loro opere mediante piscine e giardini in grado di suscitare immagini e ricordi del paradiso perduto.

Negli ultimi decenni, e per via dell'inarrestabile incremento demografico, le città hanno aumentato la loro superficie trasformando così la flora e la fauna autoctone in vittime mortali del progresso urbanistico. Ciò nonostante, non è facile vincere la natura. Un'autostrada si può coprire di erbacce anche se le auto smettono di circolare per un breve periodo di tempo. Questa forza in grado di riempire di vita gli angoli più inospitali è stata descritta da Goethe, nella sua opera, Faust, come "la veste vivente della divinità".

Oggi giorno, grazie a moderne tecniche, gli architetti hanno nelle loro mani la possibilità di esprimere questa forza naturale e soddisfare i desideri più eccentrici dell'individuo. Se il budget a disposizione del cliente lo permette, sono in grado di ideare e realizzare da una bucolica oasi fino ad un ordinato e minimalista giardino zen. Grazie al progresso costante della tecnologia, le condizioni climatiche non costituiscono più un limite alla realizzazione di piscine e giardini. Nonostante sia chiaramente vantaggioso, per vari motivi, scegliere una vegetazione propria della zona, soprattutto per quanto riguarda i lavori di cura e manutenzione, attualmente i sistemi di regolazione dell'umidità e della temperatura permettono di installare un giardino tropicale persino in una zona nordica. D'altro canto, la vasta gamma di materiali che oggi giorno offre il mercato, consente di installare una piscina in condizioni ottimali; i rivestimenti plastici o le vasche di poliestere e di metallo sono consigliabili in luoghi con temperature miti, mentre in zone dal clima rigido è raccomandabile usare la pietra o il cemento.

Questo libro vi invita a dare uno sguardo più ravvicinato al mondo delle piscine e dei giardini attraverso una selezione divisa in installazioni pubbliche e private. Inoltre, offre una panoramica sulle nuove tendenze e sul design più contemporaneo illustrando alcuni progetti di prestigiosi architetti e paesaggisti noti in tutto il mondo.

O ser humano sente-se fortemente atraído pela natureza. O sentimento que o une à exuberância da vegetação e à água nas suas múltiplas manifestações - fontes, lagos, rios - arrasta-o numa busca constante desses elementos no seu cenário urbano, dominado pelo cinzento do betão. Por isso, um dos maiores desafios enfrentados pelos arquitectos e paisagistas é integrar a natureza nas suas obras através de piscinas e jardins que proporcionem ao homem recordações do paraíso perdido.

Nas últimas décadas e devido ao imparável aumento demográfico, as cidades foram ganhando superfície e converteram a flora e a fauna autóctones em vítimas mortais do avanço urbanístico. No entanto, não é fácil vencer a natureza. Uma auto-estrada pode ficar completamente coberta vegetação se o trânsito deixar de passar por ela durante algum tempo. Essa força capaz de encher de vida os cantos mais inóspitos foi descrita por Goethe, na sua obra Fausto, como «o manto vivo da divindade». Graças às técnicas modernas, hoje em dia, os arquitectos têm a possibilidade de exprimir essa força natural e de satisfazer os desejos mais excêntricos do indivíduo. Se o orçamento do cliente o permitir, são capazes de conceber desde um bucólico oásis até um jardim zen ordenado e minimalista.

Graças ao constante avanço da tecnologia, as condições climáticas já não constituem uma limitação para a instalação de piscinas e de jardins. Embora sejam óbvias as inúmeras vantagens de escolher uma vegetação própria da zona, no que respeita manutenção e cuidados, os sistemas de regulação de humidade e temperatura que existem actualmente permitem instalar um jardim tropical numa região nórdica. Por outro lado, o amplo leque de materiais disponíveis no mercado hoje em dia permite instalar uma piscina em condições ideais. As coberturas plásticas ou as piscinas de poliéster e de metal são recomendáveis em lugares com temperaturas suaves, enquanto que nos climas extremos se recomenda a pedra ou o betão.

Este livro oferece um passeio pelo mundo das piscinas e dos jardins e apresenta uma selecção dividida em instalações públicas e privadas, que mostra um panorama das novas tendências e o desenho mais contemporâneo pela mãos de arquitectos e paisagistas famosos e conhecidos em todo o mundo.

Piscinas privadas

Piscine private

Piscinas privadas

Agua es sinónimo de vida, deleite para los sentidos y relajación. Por esa razón, cada vez más personas buscan su oasis de tranquilidad en una piscina particular.

La piscina tradicional permite al bañista dar unas brazadas después de una larga jornada laboral. Sin embargo, un nuevo concepto de diseño gana cada vez más adeptos. Consiste en una superficie mucho más reducida y de menor profundidad destinada sólo a tomar un baño cómodamente sentado. Otro diseño muy apreciado es aquel en el que los bordes quedan cubiertos por el agua. Esta solución confiere a la piscina la apariencia de un espejo de grandes dimensiones. El efecto se acentúa si la piscina se recorta ante otra masa de agua o ante el vacío de un acantilado. La sensación de infinita amplitud hace de este modelo uno de los más apreciados.

Además de esta función lúdica, las piscinas constituyen un excelente sistema de refrigeración y regulación de la humedad. Por eso suelen instalarse lo más cerca posible del espacio interior habitable, de manera que contribuyen a reducir la temperatura en las épocas de más calor.

En este capítulo se presentan diversos proyectos que proporcionan una visión general de los diferentes estilos con los que puede concebirse una piscina privada.

L'acqua è sinonimo di vita, relax, benessere e piacere per i sensi. Per questo motivo, sono sempre di più le persone che cercano la propria oasi di tranquillità in una piscina privata.

In genere la piscina tradizionale permette ai suoi proprietari di fare quattro bracciate al termine di una lunga giornata di lavoro. Tuttavia, un nuovo concetto di disegno sta acquisendo sempre più adepti. Consiste in una superficie molto più ridotta e di minore profondità, destinata soltanto a farsi un bagno stando comodamente seduti. Un altro disegno abbastanza richiesto è quello in cui i bordi vengono ricoperti dall'acqua, soluzione che fa che la piscina sembri uno specchio di grandi dimensioni. L'effetto si accentua se la piscina si trova vicino ad un altro specchio d'acqua o davanti al vuoto di una falesia. Per la sensazione di infinita ampiezza questo è il modello prediletto.

Oltre alla loro funzione ludica, le piscine costituiscono un eccellente sistema di refrigerazione e regolazione dell'umidità. Per questo è comune installarle quanto più vicine allo spazio interno abitabile, per mitigare le alte temperature dei mesi estivi e apportare freschezza all'ambiente.

In questo capitolo si presentano diversi progetti che danno una visione generale dei diversi stili e concetti che caratterizzano le attuali piscine private.

Água é sinónimo de vida, deleite para os sentidos e descontracção. Por isso, cada vez mais pessoas procuram o seu oásis de tranquilidade numa piscina particular.

A piscina tradicional permite ao banhista dar umas braçadas depois de um longo dia de trabalho. No entanto, um novo conceito de desenho ganha cada vez mais adeptos. Consiste numa superfície muito mais reduzida e de menor profundidade destinada a tomar um banho comodamente sentado. Outro desenho cada vez mais apreciado é aquele em que as bordas ficam cobertas por água, solução que proporciona à piscina a aparência de um espelho de grandes dimensões. O efeito acentua-se se a piscina estiver perante outra massa de água ou perante o vazio de uma falésia. A sensação de infinita amplitude faze deste modelo um dos mais apreciados.

Além desta função lúdica, as piscinas constituem um excelente sistema de refrigeração e de regulação da humidade. Por isso, podem ser instaladas o mais próximo possível do espaço interior habitável, de modo a que contribuam para baixar a temperatura nas épocas de maior calor.

Neste capítulo apresentam-se diversos projectos que proporcionam uma visão geral dos diferentes estilos com os quais é possível conceber uma piscina privada.

Casa en la montaña

Casa in montagna

Casa na montanha

Esta casa rodeada de colinas que se alza sobre una ladera ofrece un panorama ideal para ser disfrutado desde la piscina.

Questa casa circondata da colline, che si alza su un fianco del pendio, offre un panorama ideale da godere dalla terrazza.

Esta casa rodeada de colinas que se ergue sobre uma ladeira oferece um panorama ideal para ser desfrutado a partir da piscina.

Casa Tempate

El objetivo de este diseño es mimetizar la obra de la mano del hombre con el paisaje natural que la rodea.

L'obiettivo di questo progetto è mimetizzare l'opera realizzata dall'uomo con il paesaggio naturale che la circonda.

O objectivo deste desenho é mimetizar a obra produzida pelo homem com a paisagem natural que a rodeia.

Piscina en Malibú

Piscina a Malibú

Piscina em Malibú

Residencia Bassil
Residenza Bassil
Residência Bassil

Residencia en Pacific Heights

Residenza a Pacific Heights

Residência em Pacific Heights

La forma orgánica de esta piscina subraya su carácter natural; las cistas que ofrece su ubicación son inmejorables.

La forma organica di questa piscina sottolinea il suo carattere naturale; le viste offerte dalla sua privilegiata posizione sono insuperabili.

A forma orgânica desta piscina faz sobressair o seu carácter natural. As vistas oferecidas pela localização são ideais.

Residencia Elie Saab

Residenza Elie Saab

Residência Elie Saab

Un diseño marcadamente anguloso imprime el carácter de este jardín que queda determinado por la forma de la piscina y la disposición de las grandes losas de piedra.

Un disegno volutamente irregolare scandisce il carattere di questo giardino che viene definito dalla forma della piscina e dalla disposizione delle grandi lastre di pietra.

Um desenho marcadamente anguloso imprime carácter a este jardim que é determinado pela forma da piscina e pela disposição das grandes lajes de pedra.

Residencia Stiteler

Residenza Stiteler

Residência Stiteler

En medio de un entorno extremadamente árido y seco se abre esta piscina casi a modo de oasis.

In mezzo a un ambiente estremamente arido e secco, sorge a mo' di oasi questa piscina.

No meio de um cenário extremamente árido e seco, abre-se esta piscina quase como um oásis.

Casa en Tijucopava

Casa a Tijucopava

Casa em Tijucopava

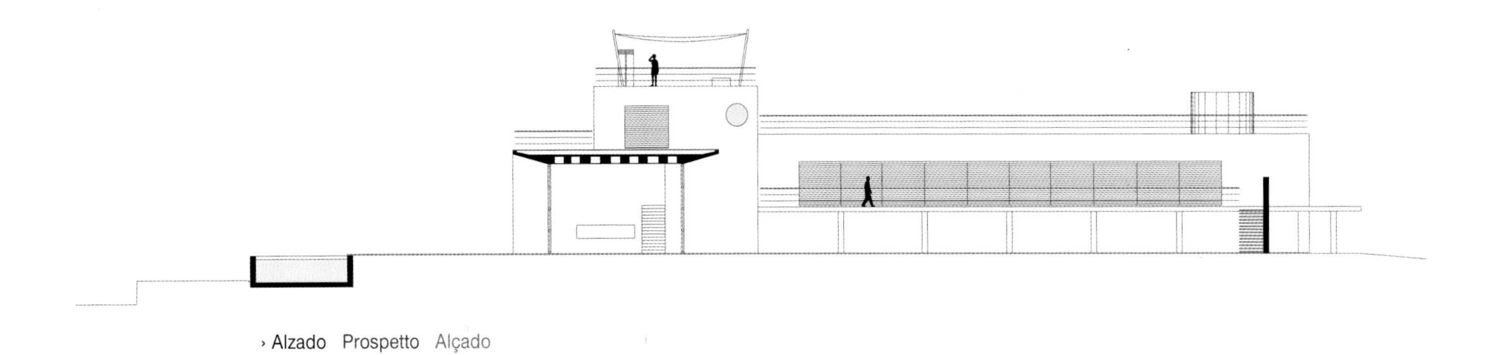

› Alzado Prospetto Alçado

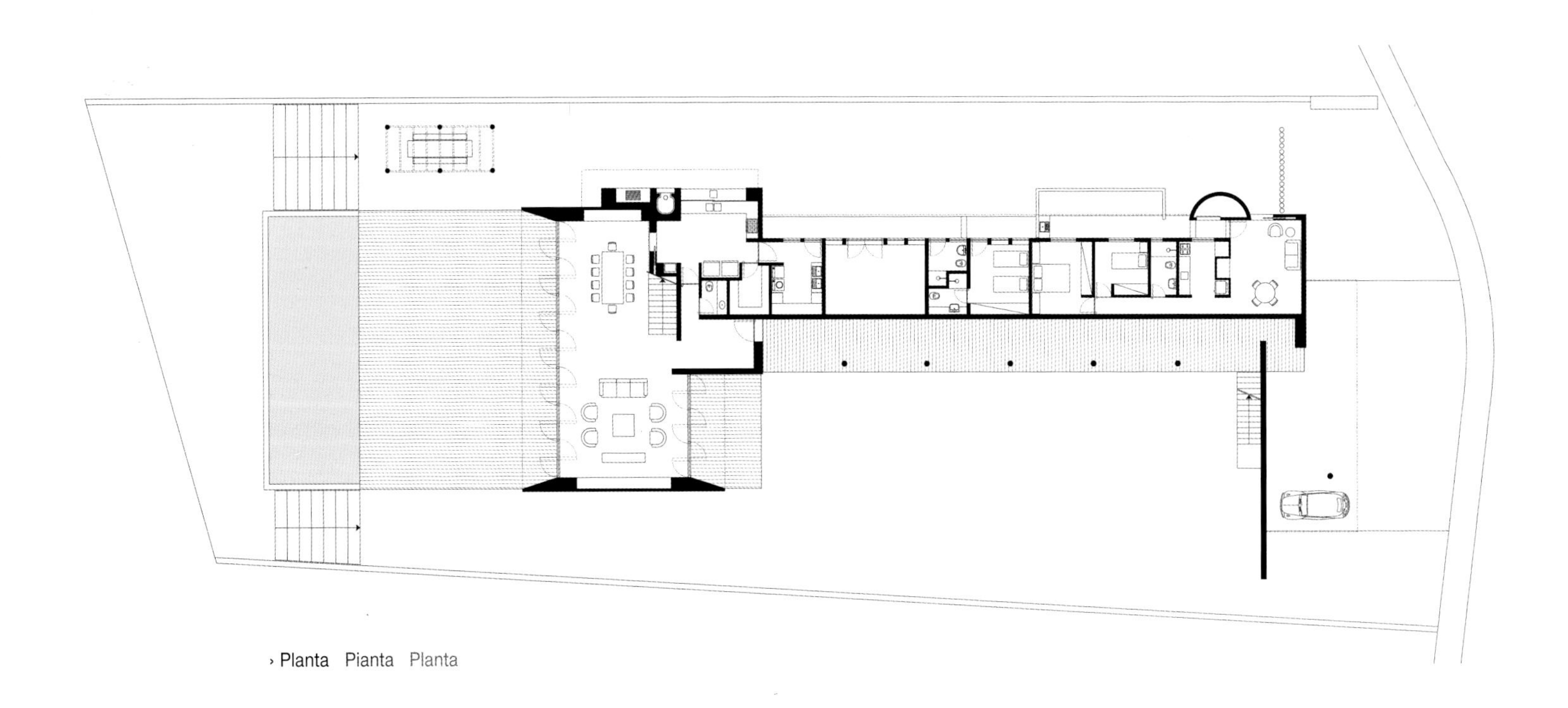

› Planta Pianta Planta

Residencia en la costa

Residenza sulla costa

Residência na costa

Jardín Maturucco

Giardino Maturucco

Jardim Maturucco

La piscina, protagonista indiscutible de este jardín, está concebida para difrutar del placer del agua.

La piscina, protagonista indiscutibile di questo giardino, invita a godere della freschezza dell'acqua.

A piscina, protagonista indiscutível deste jardim, está concebida para desfrutar do prazer da água.

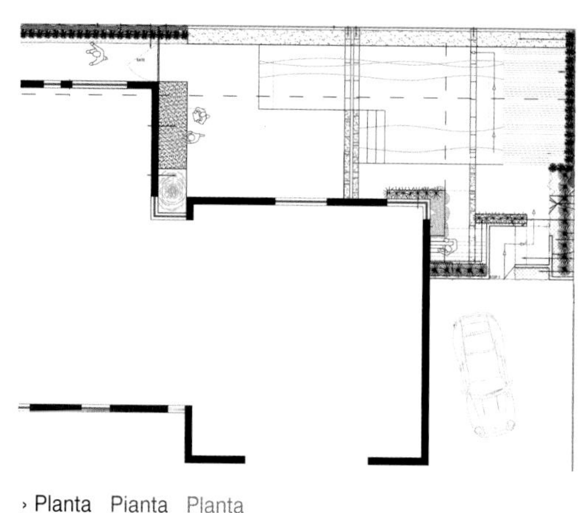

› Planta Pianta Planta

› Alzado Prospetto Alçado

HomeWrap

Residencia Yoder

Residenza Yoder

Residência Yoder

La concepción de este espacio exterior está inspirada en los grandes maestros de la modernidad como Mies van der Rohe, Wright y Schindler.

Per la concezione di questo spazio esterno ci si è inspirati ai grandi maestri della modernità come Mies van der Rohe, Wright e Schindler.

A concepção deste espaço exterior inspira-se nos grandes mestres do modernismo como Mies van der Rohe, Wright e Schindler.

Residencia en Monte Líbano
Residenza in Mount Lebanon
Residência em Monte Líbano

Una hilera de focos sumergidos hace visible el límite entre las zonas de mayor y menor profundidad.

Una fila di faretti sommersi rende visibile il limite tra la zona di maggiore e minore profondità.

Uma fileira de focos submersos torna visível o limite entre as zonas de maior e menor profundidade.

Casa Tapada

Residencia en Sitges

Residenza a Sitges

Residência em Sitges

Casa en Florida

Casa in Florida

Casa na Florida

Casa en Miami Beach

Casa a Miami Beach

Casa em Miami Beach

A este jardín, situado sobre un pequeño muelle que sirve de atracadero, se puede acceder en bote.

A questo giardino, situato su un piccolo molo che serve da imbarcadero, si può accedere in gommone.

A este jardim, situado sobre um pequeno molhe que serve de cais, é possível aceder a um barco.

Jardín minimalista

Giardino minimalista

Jardim minimalista

Casa Sugerman

Un sistema de regulación de la humedad instalado en la fachada irriga agua sobre la piscina para atemperar el clima.

Un impianto per regolare l'umidità installato nella facciata spruzza acqua sulla piscina per mitigare il clima.

Um sistema de regulação da humidade instalado na fachada irriga água sobre a piscina para temperar o clima.

Casa Greenwald

Las formas angulares y las tonalidades claras imperan tanto en el jardín como en la vivienda. Un tono de sobriedad domina el conjunto.

Le forme angolari e i toni chiari predominano sia nel giardino che nell'abitazione. Un tono di sobrietà pervade tutto l'insieme.

As formas angulares e as tonalidades claras imperam tanto no jardim como na habitação. Um tom de sobriedade domina o conjunto.

Residencia Palomares

Residenza Palomares

Residência Palomares

Desde el pequeño cenador se puede ver la piscina y disfrutar del aire fresco que genera el agua.

Dal piccolo pergolato si può vedere la piscina e godere dell'aria fresca generata dall'acqua.

Do pequeno caramanchão é possível ver a piscina e desfrutar do ar fresco que a água cria.

Casa Chester

El diseño de este jardín se valió del juego de contrastes: la piscina angulosa y claramente delimitada destaca aún más junto a una flora salvaje.

Per la progettazione di questo giardino, si è tenuto conto dei contrasti: la piscina dalla forma angolosa e nettamente delimitata spicca ancora di più accanto a una flora selvaggia.

No desenho deste jardim jogou-se com os contrastes: a piscina angulosa e claramente delimitada destaca-se ainda mais junto a uma flora selvagem.

Residencia en Cayo Vizcaíno

Residenza a Key Biscayne

Residência no Cayo Biscayne

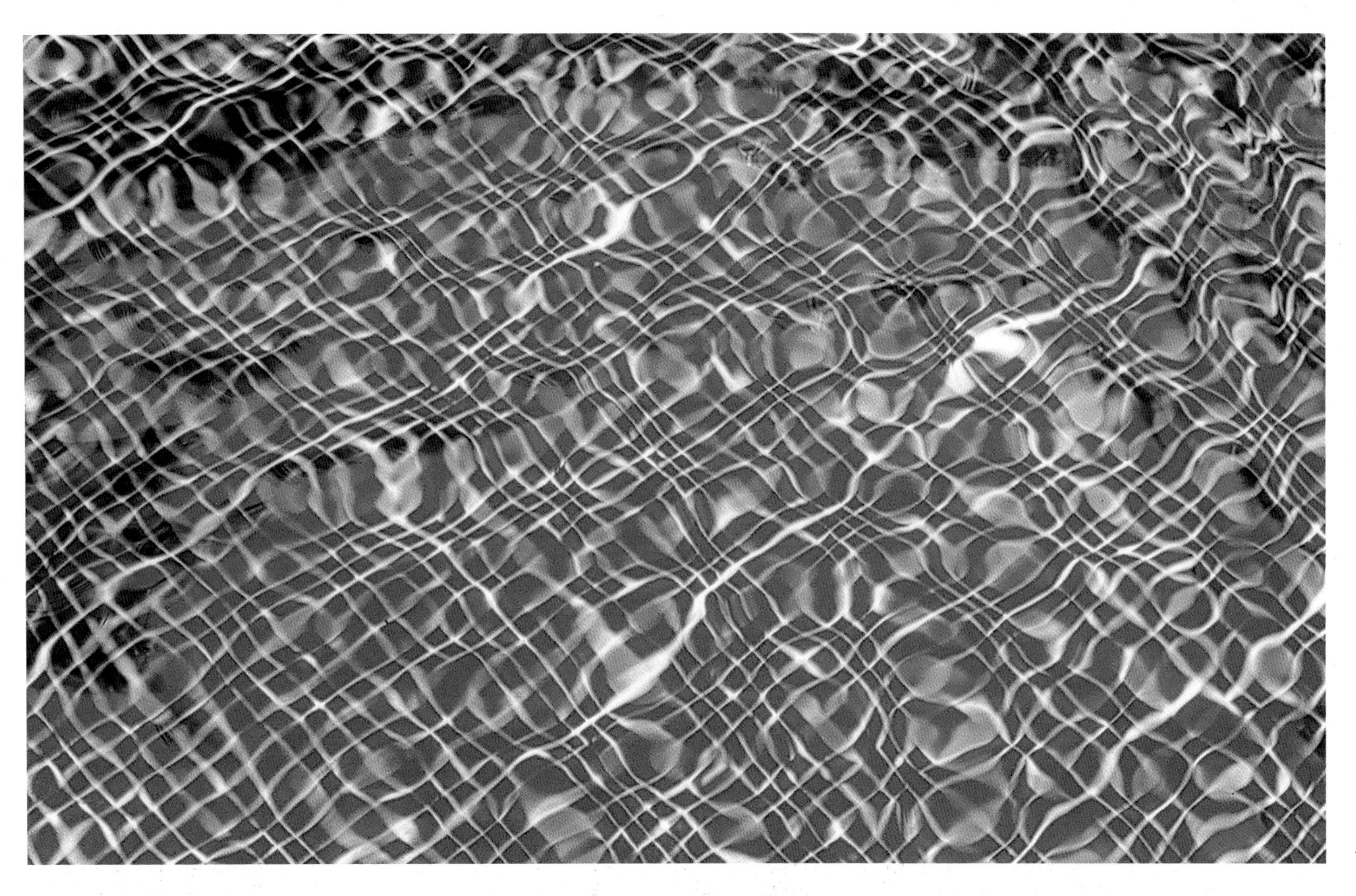

El azul oscuro del gresite otorga a la piscina una sensación de considerable profundidad.

Il blu marino della piastrellatura della piscina accentua la sensazione di profondità dell'acqua.

O azul-marinho dos ladrilhos da piscina proporciona uma sensação de considerável profundidade.

Casa en Panzano

Casa a Panzano

Casa em Panzano

Este entorno natural inspiró al arquitecto a concebir un diseño rústico caracterizado por un generoso uso de la piedra.

Inspirato dall'ambiente naturale circostante, l'architetto ha concepito un disegno rustico caratterizzato da un profuso utilizzo della pietra.

Este cenário natural inspirou o arquitecto a conceber um design rústico caracterizado por uma utilização generosa da pedra.

Piscina privada

Piscina privata

Piscina privada

La característica que define este jardín es una cuidada distribución en zonas claramente delimitadas mediante materiales y colores.

La caratteristica che definisce questo giardino è un'accurata distribuzione in zone nettamente delimitate mediante appositi materiali e colori.

A característica que define este jardim é uma cuidada distribuição em zonas claramente delimitadas por materiais e cores.

Jardín tropical

Giardino tropicale

Jardim tropical

Este jardín de vegetación tropical es un verdadero oasis de paz que responde a la estética de la casa, que combina el blanco del encalado con la madera.

Questo giardino di vegetazione tropicale è una vera oasi di pace che ben si addice all'estetica della casa, che abbina il legno al bianco delle pareti.

Este jardim de vegetação tropical é um verdadeiro oásis de paz que responde à estética da casa, que combina o branco do caiado com a madeira.

Ático con piscina

Attico con piscina

Sótão com piscina

La azotea de este edificio ofrece un refrescante baño a la vez que una magnífica visión del horizonte urbano de la ciudad.

La terrazza di questo edificio offre la possibilità di un bagno rinfrescante e di una magnifica vista dell'orizzonte urbano della città.

A açoteia deste edifício oferece simultaneamente um banho refrescante e uma vista magnífica do horizonte urbano da cidade.

Casa en Arizona

Casa in Arizona

Casa no Arizona

Las grandes proporciones de los elementos que conviven en este espacio confieren majestuosidad a una ambiente en el que el tiempo transcurre con extrema lentitud.

Le grandi proporzioni degli elementi che convivono in questo spazio conferiscono maestosità a un ambiente in cui il tempo scorre con estrema lentezza.

As grandes proporções dos elementos que convivem neste espaço conferem majestosidade a um ambiente onde o tempo passa com extrema lentidão.

Villa Marrakech

Un elegante jardín de estilo árabe acoge una piscina en forma de T protegida por un bucólico jardín de palmeras.

Un elegante giardino in stile arabo accoglie una piscina a forma di T protetta dall'ombra bucolica di alcune palme.

Um elegante jardim de estilo árabe acolhe uma piscina em forma de T protegida por um bucólico jardim de palmeiras.

Casa en Nosara

Casa a Nosara

Casa em Nosara

La forma y situación de esta piscina estuvo supeditada a superar las dificultades que implicaba construir en un terreno de fuerte inclinación.

La forma e la posizione di questa piscina sono state condizionate dalle difficoltà intrinseche che comporta costruire su un terreno fortemente inclinato.

A forma e a localização desta piscina estiveram sujeitas à superação das dificuldades que a construção num terreno de forte inclinação implicava.

Jalan Ampang

Para aprovechar al máximo las fascinantes vistas, el arquitecto decidió instalar la piscina en la azotea de la vivienda.

Per sfruttare al massimo le affascinanti vedute, l'architetto ha deciso di installare la piscina nella terrazza dell'abitazione.

Para aproveitar ao máximo as fascinantes vistas, o arquitecto decidiu instalar a piscina na açoteia da habitação.

Residencia Los Sueños
Residenza Los Sueños
Residência Los Sueños

La incidencia del clima tropical se deja ver en la exuberancia de la vegetación de esta zona de recreo.

L'influenza del clima tropicale si nota nell'esuberanza della vegetazione che caratterizza questa zona di svago.

A incidência do clima tropical é visível na exuberância da vegetação desta zona de recreio.

Jardines privados

Giardini privati

Jardins privados

Lo que se entiende en la actualidad por jardín privado abarca un concepto muy amplio; engloba desde el clásico manto de césped que rodea una vivienda hasta los patios e invernaderos urbanos o las terrazas ajardinadas. Las posibilidades de decoración de estos espacios combinan zonas verdes con otras empedradas, pavimentadas o de madera. Sin embargo, todos tienen algo en común: son una ampliación del espacio habitable que se usa como lugar de descanso y relajación. Por tanto, un jardín debe estar hecho a la medida de las necesidades individuales de sus propietarios.

La calidad de un jardín viene determinada en última instancia por sus peculiaridades decorativas. Es aquí donde los surtidores y las fuentes, la diversidad cromática y de materiales y los juegos de luz tienen un papel fundamental. El conjunto se complementa con un mobiliario adecuado para el jardín, polivalente y estético a la vez.

Pero la concepción del jardín no debe venir determinada sólo por consideraciones estéticas. Además de tener en cuenta las condiciones medioambientales locales, hay que ceñirse al tipo de suelo del que se dispone.

En este capítulo se muestran diversos ejemplos de cómo convertir pequeños espacios en auténticos paraísos.

Ciò che intendiamo attualmente col termine giardino privato comprende un concetto molto ampio; ingloba spazi che vanno dal classico prato che circonda un'abitazione fino ai cortili, le serre urbane e le terrazze con dell'area verde. Varie sono anche le possibilità di decorazione di questi spazi che combinano zone verdi con altre lastricate, pavimentate o in legno. Tuttavia, tutte hanno qualcosa in comune: sono un ampliamento dello spazio abitabile che viene usato come luogo di riposo e di relax. Pertanto, un giardino deve essere fatto su misura in base alle singole necessità dei suoi proprietari.

La qualità di un giardino viene determinata in ultima istanza dalle sue peculiarità decorative. È qui che gli zampilli e le fontane, la diversità cromatica e dei materiali e i giochi di luce svolgono un ruolo fondamentale. Tutto l'insieme viene completato da un apposito arredamento adatto al giardino, polivalente e al contempo estetico.

Ma la concezione del giardino non deve essere determinata soltanto da considerazioni di tipo estetico. Oltre a tener conto delle condizioni ambientali locali, bisogna prestare attenzione al tipo di terreno di cui si dispone.

In questo capitolo si mostrano diversi esempi su come trasformare piccoli spazi in veri e propri paradisi.

O que se entende na actualidade por jardim privado abarca um conceito muito amplo. Engloba desde o clássico manto de relva que rodeia uma habitação, até aos pátios e invernadouros urbanos, passando pelos terraços ajardinados. As possibilidades de decoração destes espaços combinam zonas verdes com outras empedradas, pavimentadas ou de madeira. No entanto, todos têm algo em comum: são uma ampliação do espaço habitável, que se usa como lugar de descanso e de relaxamento. Por isso, um jardim deve estar feito à medida das necessidades individuais dos seus proprietários.

A qualidade de um jardim é determinada em última instância pelas peculiaridades decorativas. É aqui que os repuxos e as fontes, a diversidade cromática e dos materiais e os jogos de luz têm um papel fundamental. O conjunto complementa-se com um mobiliário adequado para o jardim, simultaneamente polivalente e estético.

Mas a concepção do jardim não deve ser determinada apenas por considerações estéticas. Além de ter em conta as condições do meio-ambiente local, tem de cingir-se ao tipo de solo onde está instalado.

Neste capítulo, mostram-se diversos exemplos de como converter pequenos espaços em autênticos paraísos.

Residencia en Zúrich
Residenza a Zurigo
Residência em Zurique

El agua, presente en el estanque y en la piscina, se erige en este jardín como estímulo absoluto de los sentidos.

In questo giardino l'acqua, presente sia nel lago che nella piscina, si erge a stimolo assoluto dei sensi.

A água, presente no tanque e na piscina, ergue-se neste jardim como estímulo absoluto dos sentidos.

Jardín en California

Giardino in California

Jardim na California

El agua en movimiento de la acequia y las fuentes llena de vida este jardín.

Lo scorrere dell'acqua nel canale e il piacevole scroscio delle fontane riempiono di vita questo giardino.

A água em movimento da acéquia e as fontes enchem este jardim de vida.

Jardín mediterráneo

Giardino mediterraneo

Jardim mediterrâneo

En este proyecto se logró un perfecto equilibrio entre los espacios interior y exterior; ambos se comunican de forma fluida.

In questo progetto si è riusciti ad ottenere un perfetto equilibrio tra gli spazi interni e l'esterno; i due ambienti si comunicano in maniera fluida.

Neste projecto obteve-se um equilíbrio perfeito entre os espaços interior e exterior. Ambos comunicam de forma fluida.

SUPERIOR
ALES

Casa Asensio

Este jardín se concibió como zona de descanso, siguiendo un diseño claro de líneas minimalistas.

Questo giardino è stato concepito come zona di riposo, seguendo un disegno chiaro dalle linee minimaliste.

Este jardim foi concebido como zona de descanso, seguindo um desenho claro de linhas minimalistas.

Jardín Kensington

Giardino Kensington

Jardim Kensington

Piedra, madera, cipreses, yucas y agua convergen en este jardín cuidadosamente concebido para deleitar a sus propietarios.

Pietra, legno, cipressi, yucche ed acqua convergono in questo giardino accuratamente concepito per il relax dei suoi proprietari.

Pedra, madeira, ciprestes, jucas e água convergem neste jardim cuidadosamente concebido para deleitar os seus proprietários.

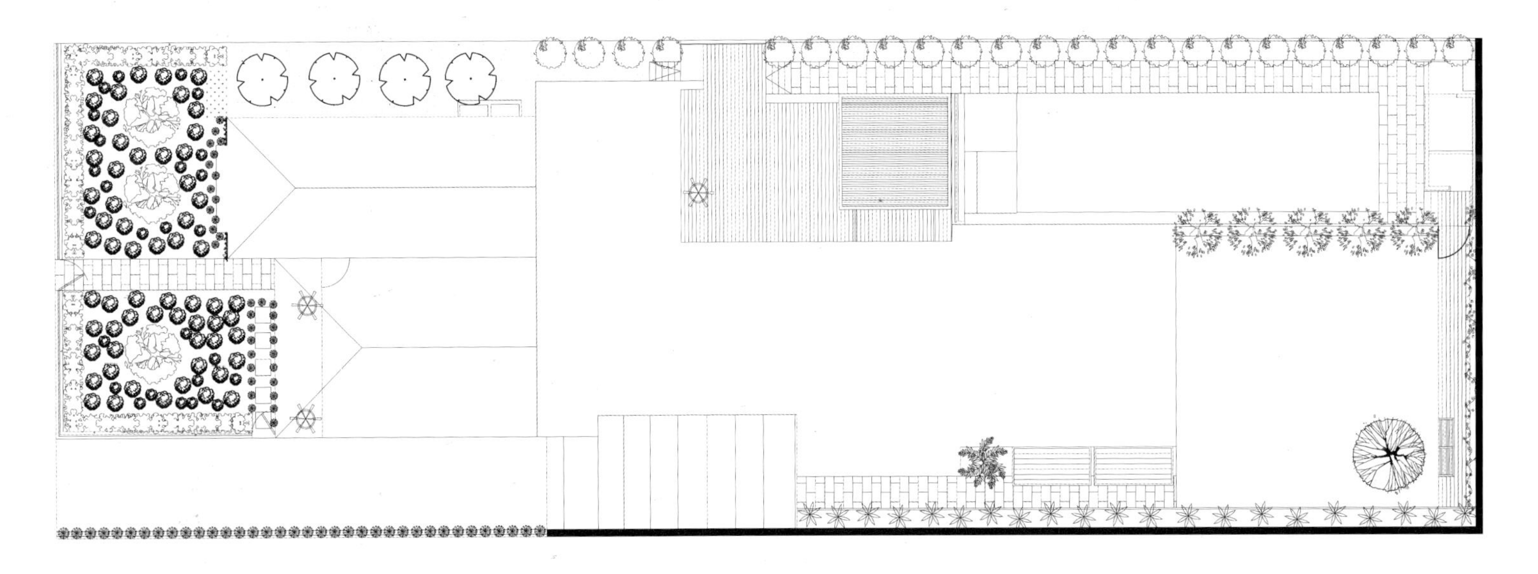

› Planta Pianta Planta

Villa C

Ático en Pedralbes

Attico a Pedralbes

Sótão em Pedralbes

Se concibió un diseño distinto para estas dos áreas exteriores: césped combinado con piedra caliza en la azotea, y madera de teca con gravilla blanca en la terraza.

Si è pensato a due stili di arredamento: prato abbinato a pietra calcarea per la terrazza superiore, e legno di tek alternato a ghiaietto bianco per l'altra terrazza.

Concebeu-se um desenho distinto para estos os exteriores: relva combinada com pedra de calcário na açoteia e madeira de teca alternada com gravilha branca no terraço.

Jardín en Wollerau
Giardino a Wollerau
Jardim em Wollerau

Vivienda en Palo Alto

Abitazione a Palo Alto

Habitação em Palo Alto

Jardín en Winkel

Giardino a Winkel

Jardim em Winkel

La idea en la concepción de este jardín fue conceder más superficie a la vivienda abriéndola al exterior con soluciones que evitaran un mantenimiento demasiado riguroso.

L'idea di questo giardino intendeva concedere più spazio all'abitazione, aprendola all'esterno con soluzioni che non avessero bisogno di un'eccessiva manutenzione.

A ideia na concepção deste jardim era conceder mais superfície à habitação abrindo-a para o exterior com soluções que evitassem uma manutenção demasiado rigorosa.

Terraza en Irvy Street

Terrazza a Irvy Street

Terraço em Irvy Street

› Planta Pianta Planta

Juego cromático

Gioco cromatico

Jogo cromático

El diseñador y habitante de la casa a la que pertenece este jardín recreó con su concepto un viaje al desierto.

Il designer nonché abitante della casa a cui appartiene questo giardino ha voluto ricreare l'idea di un viaggio nel deserto.

O desenhador e habitante da casa a que pertence este jardim recriou com o seu conceito uma viagem ao deserto.

Residencia Sonoma

Residenza Sonoma

Residência Sonoma

El cuidadoso y peculiar diseño de la zona ajardinada contrasta vivamente con la vegetación silvestre que enmarca la piscina.

L'accurato e peculiare disegno della zona verde contrasta vivamente con la vegetazione silvestre che racchiude la piscina.

O cuidadoso e peculiar desenho da zona ajardinada contrasta vivamente com a vegetação silvestre que rodeia a piscina.

Casa Kaufmann

La volumetría ortogonal de la casa se rompe gracias a la sinuosidad que caracteriza todos los elementos que forman parte del jardín.

La volumetria ortogonale della casa viene spezzata grazie alla sinuosità che caratterizza tutti gli elementi che fanno parte del giardino.

A volumetria ortogonal da casa é rompida pela sinuosidade que caracteriza todos os elementos que fazem parte do jardim.

Jardín en el Bronx

Giardino nel Bronx

Jardim no Bronx

Esta azotea tapizada de una abundante vegetación se convierte en los meses veraniegos en un reducto de agradable frescor.

Nei mesi estivi, questa terrazza ricoperta da un'abbondante vegetazione si trasforma in un luogo di piacevole relax.

Esta açoteia forrada com vegetação abundante converte-se nos meses de Verão num reduto agradável.

Jardín Corso

Giardino Corso

Jardim Corso

La ingeniosa solución de instalar un espejo de grandes proporciones al fondo del jardín confiere a este espacio exterior una agradable sensación de amplitud.

L'ingegnosa soluzione di installare uno specchio di grandi dimensioni in fondo al giardino conferisce a questo spazio esterno una piacevole sensazione di ampiezza.

A engenhosa solução de instalar um espelho de grandes proporções ao fundo do jardim confere uma agradável sensação de amplitude a este espaço exterior.

Jardín en Florida

Giardino in Florida

Jardim na Florida

La exuberante y frondosa vegetación convierte este jardín en un lugar fresco donde resguardarse del clima tropical de Florida.

L'esuberante e frondosa vegetazione trasforma questo giardino in un luogo fresco dove ripararsi dal clima tropicale della Florida.

A exuberante e frondosa vegetação converte este jardim num lugar fresco para protecção do clima tropical da Florida.

Jardín en La Jolla

Giardino in La Jolla

Jardim em La Jolla

El jardín, con un pequeño cenador, constituye un lugar ideal para la meditación y el disfrute de la naturaleza.

Il giardino, con un piccolo pergolato, rappresenta il luogo ideale dove meditare e godere in piena tranquillità della natura.

O jardim, com um pequeno caramanchão, constitui um lugar ideal para meditação e desfrute da natureza.

Jardín privado

Giardino privato

Jardim privado

Jardines públicos

Giardini pubblici

Jardins públicos

En los últimos años se ha producido un cambio significativo con respecto a la concepción de la arquitectura de paisajes y a la forma de entender el entorno natural. Lo que antes era una tarea que arquitectos e ingenieros realizaban de forma accesoria se ha convertido en una disciplina autónoma que aúna los conceptos de arquitectura, planificación urbana, biología y arte contemporáneo.

Un rápida ojeada a los diseños y proyectos de décadas pasadas permite constatar una clara evolución: la intención funcional de los diseños es ahora una búsqueda constante de soluciones pautadas por el aspecto estético donde las notas multiculturales son fácilmente apreciables.

Aparte de los aspectos estéticos, en la concepción de un jardín es indiscutible considerar la relación entre el clima y la vegetación. Algunas especies se acomodan a las condiciones medioambientales, pero a su vez influyen y regulan el clima. Por tanto, el objetivo debe ser lograr el equilibrio óptimo para que estos pequeños reductos ecológicos sobrevivan y se regeneren con el mínimo esfuerzo en cuidados y mantenimiento.

Este capítulo recoge proyectos ubicados en distintos lugares que ofrecen soluciones poco corrientes a las más diversas condiciones medioambientales.

Negli ultimi anni si è manifestato un cambio significativo in merito alla concezione dell'architettura paesaggistica e al modo di intendere l'ambiente naturale. Ciò che originariamente era un compito che architetti e ingegneri svolgevano in modo supplementare è diventata una disciplina autonoma che racchiude i concetti di architettura, pianificazione urbanistica, biologia ed arte contemporanea.

Un rapido sguardo ai disegni e progetti di epoche passate permette di constatare una chiara evoluzione: adesso l'evidente intenzione funzionale dei progetti diventa una ricerca costante di soluzioni dettate dall'aspetto estetico dove le note multiculturali sono facilmente apprezzabili.

Ma oltre agli aspetti estetici, nell'ideazione e progettazione di un giardino, è inevitabile considerare il rapporto tra il clima e la vegetazione. Alcune specie si adattano alle condizioni ambientali, e a loro volta influiscono e regolano il clima. Pertanto, l'obiettivo primordiale deve essere quello di cercare un equilibrio ottimale affinché questi piccoli angoli di verde sopravvivano, e si rigenerino con il minimo sforzo e manutenzione.

Questo capitolo presenta una raccolta di progetti situati in luoghi diversi che offrono soluzioni poco comuni alle più diverse condizioni medioambientali.

Nos últimos anos, produziu-se uma alteração significativa no que respeita o conceito de arquitectura paisagística e à forma de entender o cenário natural. O que antes era uma tarefa que arquitectos e engenheiros realizavam de forma acessória converteu-se numa disciplina autónoma que unifica os conceitos de arquitectura, planeamento urbanístico, biologia e arte contemporânea.

Um rápido olhar sobre os desenhos e projectos de décadas passadas permite constatar uma clara evolução: a intenção funcional dos desenhos é agora uma busca constante de soluções pautadas pelo aspecto estético onde as notas multiculturais são facilmente apreciáveis.

Mas além dos aspectos estéticos, na concepção de um jardim é essencial considerar a relação entre o clima e a vegetação. Algumas espécies adaptam-se às condições do meio ambiente, mas também influenciam e regulam o clima. Assim, o objectivo deve ser obter um equilíbrio óptimo para que estes pequenos redutos ecológicos sobrevivam e se regenerem com o mínimo esforço em termos de cuidados e de manutenção.

Este capítulo reúne projectos situados em lugares distintos, que oferecem soluções pouco habituais nas condições meio ambientais mais diversas.

Adelaide Street

FINANCIAL

Para lograr un entorno armónico en este pequeño jardín urbano, el lenguaje formal y el material siguen la estela de los del edificio.

Per conseguire un ambiente armonico in questo piccolo giardino urbano, il linguaggio formale e materiale si rifà alle linee dell'edificio.

Para conseguir um cenário harmonioso neste pequeno jardim urbano, a linguagem formal e o material seguem o traço do edifício.

Jardín de la Fundación Louis-Jeantet

Giardino della Fondazione Louis-Jeantet

Jardim da Fundação Louis-Jeantet

Este proyecto tenía tres objetivos: la reforma del palacete neorrenacentista, la construcción de un auditorio y la concepción de un jardín que articula la imagen del conjunto.

Questo progetto aveva tre obiettivi: il restauro del palazzetto neorinascimentale, la costruzione di un auditorio e l'ideazione di un giardino che articolasse l'immagine del complesso.

Este projecto tinha três objectivos: a reforma do palacete neo-renascentista, a construção de um auditório e a concepção de um jardim que articula a imagem do conjunto.

Parc de Diagonal-Mar

Parco di Diagonal-Mar

Parque de Diagonal-Mar

El parque se estructura por medio de un eje central y de diversas sendas que se extienden en diferentes direcciones como las ramas de un árbol.

Il parco si struttura attorno ad un asse centrale da cui si diramano sentieri che, al pari delle radici di un albero, si estendono in varie direzioni.

O parque estrutura-se por meio de um eixo central e por vários caminhos que se estendem em diferentes direcções como os ramos de uma árvore.

Plaza pública

Piazza pubblica

Praça pública

BISTRO

LKSBANK

General Mills Corporate

La zona ajardinada de este complejo ofrece un refugio de tranquilidad y descanso a quienes se permiten hacer un alto en su jornada laboral.

La zona verde di questo complesso offre un rifugio di tranquillità e riposo per coloro che fanno un break nel corso della loro giornata di lavoro.

A zona ajardinada deste complexo oferece um refúgio de tranquilidade e de descanso àqueles que se permitem fazer uma pausa no seu dia de trabalho.

Georg-Freundorfer-Plaza

Esta instalación situada en la zona más densamente poblada de la ciudad proporciona un agradable espacio para el desarrollo de actividades de ocio.

Questa installazione situata nella zona più densamente popolata della città fornisce un gradevole spazio dove rilassarsi e svagarsi.

Esta instalação situada na zona mais densamente povoada da cidade proporciona um agradável espaço para o desenvolvimento de actividades de ócio.

VP Bank

Los pequeños depósitos rectangulares que salpican el manto vegetal tienen una función decorativa, pero también otra funcional: recoger el agua de la lluvia.

I piccoli serbatoi rettangolari che punteggiano il manto erboso hanno una funzione decorativa, ma anche un'altra funzionale: raccogliere l'acqua piovana.

Os pequenos depósitos rectangulares que salpicam o manto vegetal têm uma função decorativa mas também funcional: recolher a água da chuva.

Jardines en North Terrace

Giardini a North Terrace

Jardins em North Terrace

Este jardín lineal se concibió con la intención de acentuar el significado burgués y cultural del eje del North Terrace Boulevard.

Questo giardino lineare è stato ideato con l'intenzione di accentuare il significato borghese e culturale dell'asse del North Terrace Boulevard.

Este jardim linear foi concebido com a intenção de acentuar o significado burguês e cultural do eixo do North Terrace Boulevard.

Jardín Lurie

Giardino Lurie

Jardim Lurie

En este jardín del Lakefront Millennium Park se introdujeron varios elementos alegóricos para acondicionar una enorme instalación de ocio.

In questo giardino del Lakefront Millennium Park sono stati introdotti vari elementi allegorici per completare una grande infrastruttura di divertimento.

Neste jardim do Lakefront Millennium Park introduziram-se vários elementos alegóricos para acondicionar uma enorme instalação destinada ao ócio.

Prudential

Le Nouveau Jardin de la Bastide

Jardín Charlotte

Giardino Charlotte

Jardim Charlotte

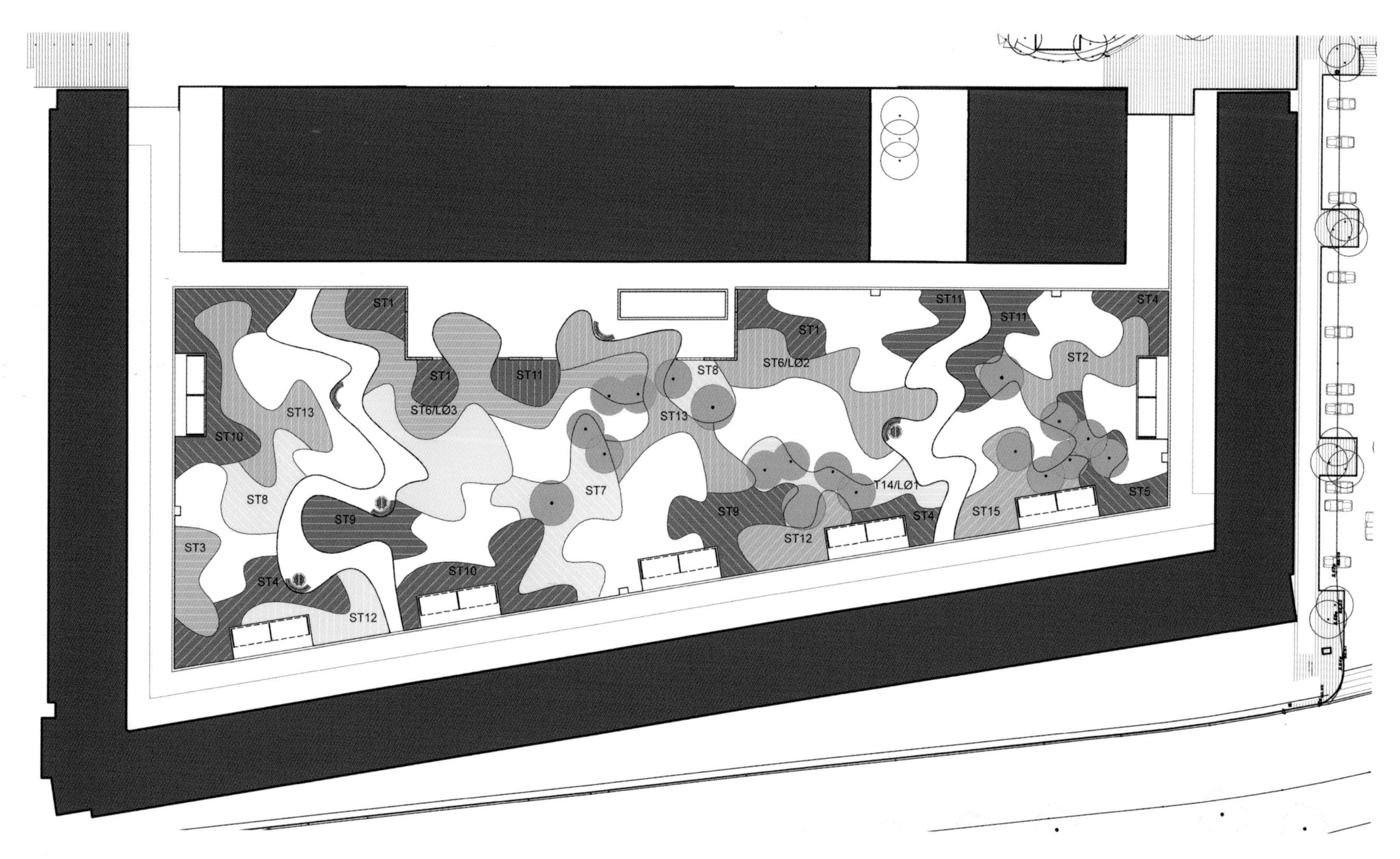

› Plano de situación Planimetria del sito Plano de situação

Este espacio encarna la reinterpretación de las zonas verdes tradicionales de la Europa nórdica: aunque está situado en un patio de manzana, resulta amplio y desahogado.

Questo spazio incarna la reinterpretazione delle tradizionali zone verdi dell'Europa del nord. Sebbene sia situato in un patio interno, risulta alquanto spazioso.

Este espaço encarna a reinterpretação das zonas verdes tradicionais da Europa nórdica: embora esteja situado num pátio de um quarteirão, tem um resultado amplo e desafogado.

Grindaker

Cafe Isabella

Parque del Agua

Parco dell'Aqua

Parque da Água

El agua es el principal elemento en el diseño de este parque, lo que se manifiesta en forma de grandes piletas, canales y surtidores.

L'acqua è l'elemento principale nel disegno di questo parco, come lo dimostrano le varie vasche, canali e zampilli presenti.

A água é o principal elemento no desenho deste parque, o que se manifesta sob a forma de grandes piscinas, canais e repuxos.

Plaza del Ayuntamiento

Piazza del Comune

Praça da Prefeitura

Las formas circulares determinan la concepción de este parque en medio de la ciudad y relajan la angulosa simetría de los edificios.

Le forme circolari caratterizzano la concezione di questo parco immerso nella città e attenuano l'angolosa simmetria degli edifici.

As formas circulares determinam a concepção deste parque no meio da cidade e atenuam a angulosa simetria dos edifícios.

Forest Gallery

Créditos fotográficos Crediti fotografici Créditos de fotografia

012-015	Tuca Reinés
016-021	Jordi Miralles
022-027	Douglas Hill Photography, Barry Beer Design
028-035	Geraldine Bruneel
036-041	Jordi Miralles
042-047	Geraldine Bruneel
048-053	Jerry Harpur
054-059	Tuca Reinés
060-065	Tuca Reinés
066-069	Shania Shegedyn
070-073	Bill Timmerman
074-077	Geraldine Bruneel
078-083	José Luis Hausmann
084-087	Miquel Tres
088-093	Jose Luis Hausmann
094-101	Reto Guntli/Zapaimages
102-107	Shania Shegedyn
108-115	Pep Escoda
116-121	Pep Escoda
122-129	Pep Escoda
130-135	Pep Escoda
136-141	Pep Escoda
142-149	Dario Fusaro
150-153	Shania Shegedyn
154-157	Alberto Burckhardt, Beatriz Santo Domingo
158-163	Hertha Hurnaus, Peter Rigaud, Rupert Steiner
164-169	Bill Timmermann
170-175	Jordi Miralles
176-179	Jordi Miralles
180-183	Guz Architects
184-189	Jordi Miralles
192-197	Raderschall Landschaftsarchitekten
198-201	Undine Pröhl
202-207	Jovan Horvath
208-213	Roger Casas
214-219	Murray Fredericks
220-223	Groep Delta Architectuur
224-229	Marcos Basso Cano
230-233	Rotzler Krebs Partner
234-237	Andrea Cochran
238-241	Jean Dardelet
242-245	Andrea Cochran
246-249	Taylor Cullity Lethlean
250-255	CCS Architecture, J.D. Peterson
256-261	Tim Street-Porter
262-267	Ian Bradshaw
268-273	Murray Fredericks
274-279	David Stansbury
280-285	Vern Cheek
286-289	Jon Bouchier/Redcover.com
292-297	Neil Fox
298-303	Jean-Michel Landecy
304-311	Roger Casas
312-319	Damir Fabijanic
320-327	George Heinrich, Tadd Kreun
328-333	Levin Monsigny Landschaftsarchitekten
334-339	Rotzler Krebs Partner
340-343	Grant Hancock & Emily Taylor
344-349	Gustafson Guthrie Nichol
350-355	Catherine Mosbach
356-361	Torben Petersen
362-367	Magnus Greni, Amund Johne
368-373	Lorenzo Castro
374-377	Wayne Swanton
378-381	Ben Wrigley & Carla Gottgens